三申堂
樂器博物館
後院的木門
蟾蜍夫人的家

蝙蝠的石屋
野豬夫婦的家
蛇御前的家
七化山
七化池

妖怪醫院 6

SOS！七化山的妖怪們

文 富安陽子 圖 小松良佳 譯 游韻馨

鎮上的樂器博物館發生竊盜案件！
這間平時很少人去的博物館被偷了，
失物是布滿灰塵的橫笛、鼓與沙鈴。
令人意外的是，這件發生在人類世界的案件，
竟在妖怪世界掀起波瀾！
鬼燈醫生派座敷童子到人類世界找我，
將我帶到妖怪們居住的七化山，
在那裡等著我的是
十分罕見的怪病「石化症」！

目錄

妖怪醫院 6

SOS！七化山的妖怪們

文 富安陽子　圖 小松良佳　譯 游韻馨

1 樂器博物館竊盜案件

那天早上，正在看報的爸爸突然問我：

「恭平，我記得你上次說你們學校郊遊去了一間很奇怪的博物館，對吧？」

我一邊剝著水煮蛋的殼，一邊點頭回答：

「嗯，是樂器博物館。不過，那不是郊遊，是社會課的校外教學啦！我們每一班都要去參觀鎮上的公共設施，然後發表心得報告。只有我們班去了樂器博物館。

「其他班級都去消防署、警察局或郵局，我們班因為有一個超級樂器迷，他說那些其他班級會去的地方都很無聊，不如選沒人去的地方才好玩，所以我們才決定去樂器博物館。早知道就不去那裡了，那裡超冷清，又小又無聊。

「聽說那間房子原本屬於一個喜歡收藏樂器的老爺爺，他過世後將自己的房子和收藏的樂器全部捐給市政府。市政府不得已，只好把他家改成博物館。可是那裡好昏暗，到處都是灰塵，根本沒有好好經營。還有女同學生氣的說：『我早就說過鄉土史料館比這裡好多了！』那天的校外教學真是糟透了。」

一股腦兒的說出不愉快的經驗後，我才想起要問爸爸為什麼忽然提到這件事。我咬了一口水煮蛋，接著問：

「爸，你怎麼突然問起這件事？樂器博物館怎麼了嗎？」

爸爸指著手中報紙上的一角，對我說：

「昨天樂器博物館遭竊了，有小偷闖進去。」

我不禁大叫：「什麼？不可能吧！這怎麼可能？那裡根本沒什麼值得偷的東西，會不會是搞錯地方了？可能是別間樂器博物館？」

爸爸說：「不可能，報上刊登的博物館所在地確實在我們鎮上。要是我們鎮上有好幾間樂器博物館也就算了，不過，我們這個鎮上怎麼可能有其他的樂器博物館？這種博物館一間就夠了。」

「那……報紙有說什麼東西被偷了嗎？」

爸爸喝了一口咖啡，再次看向那則報導，對我說：

「被偷的東西是一支叫做『月光』的橫笛，一個名為『子狐』的鼓……還有一支沙鈴。」

「笛子、鼓與沙鈴？偷這些東西要做什麼？」

爸爸繼續說：「報紙上說笛子和鼓是安土桃山時代①的文物，是市政府指定的文化遺產呢！」

「真的啊？那個沙鈴呢？」我驚訝的問。

「不知道，報紙上沒寫，看來不是什麼了不起的東西。」

我喃喃自語：「到底是誰偷走那些樂器呢？」

爸爸再次看向報紙，將報導內容唸給我聽：

「經職員證實，這次被偷的三件展示品在十六日開放時間結束時還在展示地點，可以確定展示品是在十六日關門到十七日開館之間，被不明人士潛入館中偷走。此外，警方接獲多起民眾通報，十六日下午有三名可疑男子在博物館附近遊蕩。根據情報顯示，這三名男子身穿同樣的工作服，一邊吃著香蕉，一邊在博物館四周來回走動。」

我忍不住打斷爸爸：「蛤？你剛說他們吃什麼？」

「香蕉，報導寫他們吃著香蕉。這三名小偷也太奇怪了吧。」

「這究竟是怎麼一回事……」

我抬頭與爸爸對看一眼，剛才去廚房拿吐司的媽媽，恰巧在這個時候拿著盤子走出來，看到眼前的情景愣了一下，對我說：

「恭平，你有沒有乖乖吃飯啊？再不快點，上學要遲到囉！看一下你的錶，注意時間！」

「啊！糟了！」我趕緊將剩下的水煮蛋全部塞進嘴裡，從椅子上跳起來。

剛剛只顧著跟爸爸說話，不知道已經這麼晚。這下慘了，我快遲到了。

我急得像熱鍋上的螞蟻，早就將樂器博物館和可疑的小偷拋在腦後。

沒想到，樂器博物館遭竊事件竟然是一連串故事的開始。

不只妖怪們聞風喪膽，就連妖怪內科名醫鬼燈京十郎也束手無策，前所未聞的驚世危機一觸即發。

我大喊：「我出門嘍！」然後背

起書包，頭也不回的往學校跑去。

這個時候，我還不知道妖怪世界正掀起驚濤駭浪。

①距今約四百多年前，指的是西元一五六八年至一六〇三年之間，織田信長與豐臣秀吉稱霸日本的時期。以織田信長的安土城和豐臣秀吉的桃山城為名，又稱織豐時代。

2 來接我的座敷童子

我從來沒有這麼幸運過。

我差點就要遲到，還好在最後一刻安全上壘，滑進教室裡。上體育課的時候，我們班分成兩隊踢足球，沒想到我竟然踢進了兩球。當天的營養午餐是我最喜歡的奶油濃湯和酥炸白肉魚。第五節的國語課，老師要我們朗讀課文。我最討厭朗讀，就在快輪到我的時候，下課鈴正好響了。

放學回家時，我突然想起早上爸爸說的事情，決定繞到樂器博

物館看一看。之所以會有這樣的想法，我想一定是因為今天太幸運了，放學後心情還是很亢奮，完全靜不下來。

樂器博物館就在回家的路上，和同學們道別的國道十字路口處，稍微偏北的位置，離我家並不遠。我只想繞過去看一下就好，不會花太多時間。決定之後，我立刻朝博物館方向走去。

我邊走邊想著：「遭到小偷闖入的房子四周，會不會像電視劇演的那樣拉起封鎖線？說不定還有刑警在現場蒐證，旁邊還停著一堆警車！」沒想到走到樂器博物館一看，那裡就像什麼事也沒發生過，還是那麼冷清，靜靜佇立在街道上。

若說要與之前我來的時候有什麼不同，那就是博物館的大門上掛著「今日營業時間已結束」的牌子。

照理說，開放時間明明到五點，現在還不到五點，應該還開著，怎麼就關門了呢？我看著大門深鎖的博物館，猜想或許是因為竊盜事件，所以才關門的吧？

「嘖……」滿懷期待來到這裡卻撲了個空，內心不禁感到失望。

我走過博物館正面，正準備繞到右邊，就在此時，我聽見博物館後方傳來一陣古怪的聲音。

沙、沙、沙……聽起來像是有東西在地面拖著走，發出摩擦的聲音。我靜靜的聽了一會兒，聲音還在持續，沒有停下來的跡象。

我很好奇這究竟是什麼聲音？

怎麼辦？我好想趕快回家，可是又想再待一會兒，看看狀況，內心猶豫不決。

我後來想想，既來之，則安之。既然都來了，就到房子後面看看吧！

我想知道究竟是什麼東西沙沙作響，也想知道被小偷闖入的博物館後面究竟出了什麼事？

就像我之前跟爸爸說過的，這間博物館原本是一個老爺爺的家，從外面看起來，跟一般住家沒有兩樣。

唯一的不同就是為了方便民眾進入參觀，將玄關一帶改造成公共場館大門的感覺。我走進前門，繞過轉角，往房子後方走去。我看見一間小型儲物間，還有晒衣架，怎麼看都不像是博物館該有的物品。

愈往裡面走，我愈覺得自己好像在私闖民宅，開始想打退堂鼓了。

我告訴自己：「偷偷看一眼就好，看完立刻回家。」身體緊靠著房子外牆，接著探頭出去，悄悄的看了後院一眼，忍不住驚叫出聲。

我竟然在博物館後方的小庭院裡，看到不該存在的人物！

「是你，座敷童子！」我一時之間忘記自己躲在一旁偷看，大叫出聲。

座敷童子停下正在掃地的手，轉頭看向我，笑著對我說：

「嗨！快跟我走吧！那個人在找你。」

我慌了手腳，滿臉疑問的問座敷童子：「那個人……那個人……那個人是誰啊？」

其實……我根本不用問座敷童子這個問題，我早就知道「那個人」是誰了……

座敷童子回答：「那還用問嗎？當然是名醫鬼燈京十郎先生啊！他要我立刻來找你，你看，我還特地來接你過去呢！」

在我眼前的座敷童子就是妖怪世界名聞遐邇的座敷童子。

為什麼我會認識妖怪，還跟妖怪像朋友一樣聊天？這件事說來話長。

簡單來說，我之所以不小心誤入妖怪世界，還跟妖怪做朋友，這一切都要拜始作俑者鬼燈京十郎醫生所賜。都是我認識了這個世界上獨一無二的妖怪內科醫生鬼燈京十郎，才有現在這個下場。

鬼燈醫生一直把我當成他的助手使喚，也不管我願不願意。每

次都像現在這樣突然出現，根本不顧我有沒有時間，硬把我拖進妖怪世界，要我做這個、做那個。

而且，只要跟鬼燈醫生在一起，我一定會遇到驚險萬分的場面。為了保住小命，我盡可能不跟鬼燈醫生扯上關係。誰知道他前一陣子竟然在我房間的衣櫥裡，開了一條連結人類世界與妖怪世界的通道！不只是他，就連座敷童子也三不五時從衣櫥裡現身，真的讓我很困擾。

我跟座敷童子說：「我才不去！老師今天出了很多功課，你跟鬼燈醫生說我不去。」

頂著河童髮型的座敷童子偏著頭，一臉正經的思考，接著他自顧自的說：

「你要是不去，我相信鬼燈醫生會說他要親自過來找你——如果真的是這樣，他會在你家再開一條路。

「你應該還記得吧？你衣櫥裡的路通往妖怪世界的『藥種森林』，鬼燈醫生現在在離藥種森林很遠的『七化山』，我想他一定會開一條連結七化山和你家的路。

「我之所以在這裡等你，是因為這個房子的後院原本就有一個通往妖怪世界的入口。嗯，與其說是入口，以裂縫來形容應該更貼切。

「從那個裂縫過去，可以直通『七化山』。不過，如果你不願意，那也不勉強。反正待會兒我會做一條路通往你家，你再跟鬼燈醫生好好聊聊吧！」

我不由得在內心哀號：「千萬不要！」我知道只要座敷童子用他的掃帚在地面掃過去，就能開出一條連結妖怪世界與人類世界的路。換句話說，他可以利用這個方式打通兩個世界。

我房間裡的通道就是座敷童子掃出來的，我才不要他又在我家開出另一條路。我家才不是妖怪世界與人類世界的交會點呢！

看來我只能照座敷童子說的去做了。我大大的、深深的嘆了一口氣，座敷童子目光如炬的盯著我看，我對他說：

「我知道了，我去就是了，這下你滿意了吧？」

「這才像話。」座敷童子笑咪咪的回答，拿起掃帚在後院地面沙沙沙的使勁掃著。我剛剛在門口聽到的就是掃帚掃地的聲音。

「我把路掃寬一點，待會兒比較好走，快跟上來吧！」

我心不甘，情不願的跟在座敷童子的後面走，座敷童子用掃帚開路，穿過庭院，筆直的朝後院角落的小木門前進。

「我要開門嘍！」話一說完，座敷童子伸出手打開老舊木門。

我驚訝的問：「咦？從這裡去嗎？」

只見後院的木門在我眼前打開了，座敷童子用力的掃完最後一次，走過木門，轉頭看向我。接著冷不防的抓住我的手。

我突然被座敷童子往前拉，一下子沒站穩差點跌倒。走過木門後我抬頭一看，發現前面是一片深邃、看不見盡頭的森林。

「歡迎來到七化山。」就在這個時候，我耳邊響起了鬼燈醫生的聲音。

3 歡迎來到七化山

我回頭一看，剛剛走過的木門還在赤松樹下，卻已經看不見門後的博物館和庭院。

姑且不管博物館和庭院了，我看見鬼燈醫生站在樹林裡。在赤松樹的前方有一塊小小的空地，鬼燈醫生雙手抱胸，旁邊有三隻體型碩大的猴子。

「哎呀！你真的把他帶來了，做得真好，這是給你的謝禮。」鬼燈醫生一說完，便從白袍口袋拿出三顆大糖果，放在座敷童子的手上。那三顆蜂蜜糖閃著漂亮的金黃色，看起來真好吃。

座敷童子開心的盯著閃閃發亮的金色糖果，將掃帚扛在肩上，又跑又跳的離開了。

我想起座敷童子喜歡閃閃發亮的東西，正因如此，鬼燈醫生才會送蜂蜜糖給他。

區區三顆糖果就將座敷童子收

服得服服貼貼，讓他開一條路到我家，還把我從人類世界帶過來。真不愧是鬼燈醫生，任意使喚他人的個性一點也沒變。

看到這個場景，我不禁怒火中燒，顧不得禮貌的問：「找我幹麼？」我的語氣很不耐煩，惹得醫生有些不開心。

鬼燈醫生說：「你沒有別的事想問嗎？你不想知道這幾隻猴子為什麼在這裡？不想知道我在這裡做什麼？或是問我這裡是哪裡？」

「座敷童子說過這裡是七化山，剛剛你也說了『歡迎來到七化山』。再說，我對猴子一點興趣也沒有……」我瞥了一眼空地上的猴子，感到有點不對勁。

那三隻猴子中，有兩隻不是真正的猴子，而是跟真猴子一模一樣的石猴子。

坐在空地正中央、長滿苔蘚的石頭上的那隻，看來是真的猴子。不過，坐在石頭下方和用兩隻後腳站在一旁的猴子，並非真的猴子，而是猴子石像。

鬼燈醫生說：「看來你終於發現怪異的地方了，過來我這裡仔細瞧瞧吧！等你看完，我就告訴你為什麼我要你來一趟。」

我想知道發生了什麼事，只好往空地走去。

我穿過樹林，走近那塊小小的空地，發現後方有一間六角形的小房子。以瓦片砌成的屋簷下方，掛著一塊用墨水寫著字的匾額。

我歪著頭猜想，那上面究竟寫了什麼字？鬼燈醫生解開了我的疑惑。「那上面寫著『三申堂』，『申』就是猴子的意思。簡單來說，那間房子是這三隻猴子的家。」

我驚訝的說：「三隻猴子？可是，這兩隻是石像啊？」我的眼光從門上的匾額轉向眼前的石猴。

就在此時，我發現了一件事，

忍不住大叫出聲：「啊！怎麼會？這些……這些……這些該不會……就是被小偷偷走的樂器博物館的展示品嗎？」

兩尊石猴的手中各拿著一種樂器，坐著的石猴拿的是橫笛，站著的石猴拿的是沙鈴！

不只如此，坐在石頭上的真猴子，手裡拿的正是鼓啊！

鬼燈醫生一臉訝異的看著我，

問：「你說什麼？小偷怎麼了？你到底在激動什麼？」

我趕緊向鬼燈醫生解釋：「昨天我們鎮上的樂器博物館被偷了，小偷偷走了三件展示樂器。被偷的樂器分別是沙鈴，還有……名字叫『月光』的橫笛，以及叫『子狐』的鼓。據說小偷有三個人，他們一邊吃著香蕉，一邊在博物館四周晃來晃去。這些都是被偷的樂器，絕對不會錯！可是，為什麼被偷的樂器會在石猴手中呢？」

鬼燈醫生發出「嗯」的一聲，專心的思考著。不一會兒，鬼燈醫生對著坐在石頭上的真猴子大聲質問：

「老爺爺，我問你，你們昨天是不是跑到人類世界的樂器博物館偷樂器了？你們手中的樂器是從人類世界摸來的吧？」

「昨天的天氣很好啊！」坐在石頭上的猴子沒頭沒尾的說了這句話，說完還搔了搔頭。看來他的耳朵不太好，沒聽清楚鬼燈醫生問的話。

這次鬼燈醫生使出渾身解數，指著猴子手中的鼓，大聲的問：

「你們是不是去偷樂器了？這鼓是從哪裡拿來的？」

「喔，你是說這個啊？」猴子爺爺似乎聽懂了鬼燈醫生在說什麼，獻寶似的舉起手中的鼓，對我們說：「這鼓很棒耶！橫笛也很出色，不用聽聲音，光看做工就知道。這麼好的東西放在人類世界太可惜了，所以我們昨天把它們拿過來，一邊演奏一邊跳舞呢！見猴那傢伙也拿了一款樂器，不過那不是什麼了不起的東西。」

話一說完，坐在石頭上的猴子發出嘻嘻嘻的笑聲，緩慢搖動著身軀。

鬼燈醫生嘆了一口氣，聳聳肩，攤開雙手，說：

「看來事情就是你說的那樣，到你們鎮上的樂器博物館偷樂器的就是他們。他們叫做三申猴，分別是聞猴爺爺、見猴與言猴。三申猴是住在七化山的猴妖，經常變身成人類，到你們的世界去玩。所有住在這座山裡的妖怪都會『變身術』，最初是狐與狸一族分別在這座山盤據一方，後來，那些學會變身術的妖怪就全部聚集在此。

「據說『七化山』是因為七隻會變身術的妖怪住在這裡，才取這個名字。現在住在這裡的妖怪比以前多得多，他們都是那七隻妖怪的後代子孫。

「除了這三隻猴子之外，還有野豬夫婦。其他還有一隻母蟾蜍，名為蟾蜍夫人。一條體型很大的母蛇，稱為蛇御前。七化山的七化池裡，住著一隻鯰魚妖怪化身的鯰魚和尚。北邊的石屋住著三十三隻蝙蝠妖怪。蝙蝠妖怪的變身術很奇特，單獨一隻蝙蝠無法變身成人類，但三十三隻聚在一起就能變出一個人的模樣。」

只見鬼燈醫生滔滔不絕的說著，我有滿腹疑問想問，卻一直找不到空檔插嘴。最後終於忍不住開口問：

「可是，為什麼，那三隻猴子有兩隻是石頭呢？」

鬼燈醫生看著我，對我說：「他們是突然變成石頭的。」

「什麼？」我驚訝的說。

鬼燈醫生緊接著說出令人不敢置信的事情。「今天醫院沒什麼病人，我在診間悠閒的看書。過沒多久，桌子上的貓頭鷹石雕突然大喊：『緊急呼叫、緊急呼叫！』我被吵得受不了，問他：『急診病患在哪裡？』接著只見貓頭鷹的嘴轉向西邊說：『七化山。收到野豬夫婦發出的SOS緊急求救訊號！』

「我心想這下有事做了，正要起身出發時，貓頭鷹石雕又開始大叫了起來：『緊急呼叫、緊急呼叫！』我忍不住哀號：『不會吧？饒了我吧！這次又是哪裡出事啊？』貓頭鷹的嘴還是朝著西邊，對我說：『呼嗚嗚！這次還是七化山。收到三申堂的猴子們發出的SOS緊急求救訊號！』

「過去很少有同一個地方的不同妖怪同時發出求救訊號，今天竟

然發生了，我覺得事有蹊蹺，絕對沒這麼簡單。

「通常發生這種情形最有可能的原因是感染了流行性疾病。在小範圍內不同妖怪同時染病，通常是妖怪之間互相傳染的疾病。

「我首先想到的是『妖怪流行性感冒』、『妖怪霍亂』以及『妖怪鼠疫』，當然還有其他可能的疾病。

「我一邊準備出診用品，一邊要貓頭鷹石雕聯絡七化山發出求救訊號的患者，請對方告知詳細病況。只要掌握症狀，至少能鎖定可能的疾病，如此一來就能事先備齊治療該疾病的相關物品。

「沒想到貓頭鷹回報的症狀，卻讓我不知所措。患者的病況既不符合妖怪流行性感冒，也不是妖怪鼠疫，而且跟其他流行性疾病的症狀完全不一樣。令人驚訝的是，野豬夫婦和三申堂猴子的症狀完全相同。

「簡單來說，在昨天之前，他們的身體都很健康，精神也很好，可是今天一早卻出現石化症狀，從腳尖開始蔓延至身體，到最後變成一尊石像。」

4 石化症！

「你的意思是，這些猴子原本不是石頭嗎？是因為生病才變成石頭的？」

聽完鬼燈醫生說的話後，我忍不住仔細盯著眼前的石猴看。

「究竟是疾病引起的，還是有其他原因，我現在還不能斷定。」鬼燈醫生板著臉，雙手抱胸。「我剛抵達現場時，野豬夫婦只剩鼻子還沒變成石頭，還能說話。但因為耳朵已經石化，我必須在他們耳邊大聲叫喊，他們才聽得見我問的問題，真是折騰死我了。我問他

們：『你們是不是吃了什麼奇怪的食物？有沒有看見可疑的妖怪？有沒有做什麼平常沒做的事情？總之，你們今天有沒有發生什麼與平時不一樣的事情？再小的事都好，趕快想一想。』

「野豬先生回答：『我沒吃奇怪的食物，沒看到可疑的妖怪，也沒發生什麼不一樣的事情。』

「野豬太太則說：『我也沒吃奇怪的食物，沒看到可疑的妖怪。不過，昨天晚上猴子們好吵，讓我整個晚上都沒睡。』在鼻子即將變成石頭之前，她還說：『對了，昨晚猴子們唱歌時，我隱約聽到狐狸的叫聲。有兩隻狐狸在山中號叫。』」

「接著我立刻趕到三申堂去，發現這兩隻變成石頭的猴子，以及在石頭上呼呼大睡的聞猴爺爺。

「我使出渾身解數，問老爺爺他們為什麼會變成石頭，是不是發生了什麼事？但你剛剛也看見了，聞猴爺爺的耳朵不好……不對，應該說他根本聽不見。三申堂的猴子都有一些身體上的問題，『見猴』的眼睛看不見、『言猴』不會說話、『聞猴』的耳朵聽不見，害我問問題問到滿身大汗。

「話說回來，把剛才聞猴爺爺說的話湊在一起，多少可以看出一些端倪。

「簡單來說，事情是這樣的。昨天晚上月光皎潔，猴子們受到月光吸引，在三申堂前的空地吹笛子、打鼓、搖沙鈴，開心的喝酒、跳舞、唱歌。這三隻猴子最大的優點就是，他們雖然有的眼睛不好、耳朵不好，甚至不能唱歌，但還是盡情的享受音樂。多虧有你的說明，我才知道他們演奏的樂器原來是從人類世界偷來的。我猜

他們喝的酒也是從人類世界順手牽羊來的。

「我想這三隻猴子一定是徹夜狂歡，一直到月亮西下。天亮了也不回房子裡，就這麼醉倒在空地石頭旁，不小心睡著了。聽聞猴爺爺說，言猴與見猴在醉倒前都玩得很開心，不過醉倒之後發生什麼事，他就不知道了。其實這也怪不得他，我趕到這裡的時候他還睡得很香，渾然不知發生了什麼事。是我將他搖醒，他才發現另外兩隻猴子變成石頭了。」

在鬼燈醫生說話期間，坐在石頭上的聞猴，打了好幾次呵欠。可見他現在還是很想睡。

我相信他一定是一夜沒睡，先是潛入人類世界，還在妖怪世界唱歌跳舞，才會昏昏欲睡。

另外兩隻猴子同伴從腳尖開始石化的時候，一定也曾吵鬧騷動，但因為聞猴爺爺耳朵聽不見，所以渾然不知發生了什麼事，依舊睡他的大頭覺。話說回來，為什麼聞猴爺爺一點事也沒有？

我問鬼燈醫生：「為什麼唯獨聞猴爺爺沒有變成石頭呢？」

鬼燈醫生搖搖頭說：「我不清楚，這件事有太多我解不開的謎題。為什麼三申猴只有兩隻變成石頭？為什麼同一個時間，住在同一座山裡的野豬夫婦也變成石頭？為什麼會發生這樣的事情？是病毒細菌感染，還是幕後黑手的詛咒？或者是有人下毒？

「猴子們喝剩的酒裡，沒有驗出任何毒藥。不過，這在我意料之中。要是酒裡有毒，三隻猴子都喝了酒，應該全都變成石頭才對。而且就連沒喝酒的野豬夫婦也變石頭，這一點實在沒有道理。

「所以，這件事一定另有原因。為了查明清楚，我得察看七化山其他妖怪的狀況。我必須確定是否只有這兩隻猴子和野豬夫婦變成石頭，說不定還有其他染上石化症的妖怪。恭平同學，我們走吧！」

鬼燈醫生嚴肅的盯著我看，對我說：「跟我一起出診，在我問診的時候，你幫我記下我和妖怪之間所有的談話內容。」

「什麼？又是我？」我驚訝的看著醫生。一個不小心，我又讓自己陷入同樣的境地。每次醫生叫我「恭平同學」都沒好事發生。

「我明白這座山現在發生了很嚴重的事情，可是為什麼非要我做紀錄不可？你要是想要找個助手幫忙，就給座敷童子幾顆糖果，叫他幫忙啊！我還得回家寫功課呢！」我怕又被拖下水，趕緊找了藉口搪塞。

「笨蛋！」鬼燈醫生大聲斥責，讓我嚇了一大跳。「你難道分不清學校功課跟妖怪世界的危機，哪一樣比較重要嗎？你聽好，我們現在面對的很可能是前所未見的疾病，要是不立刻找出原因解決，新的疾病就會蔓延至整個妖怪世界。」

我嚴詞拒絕：「我才不要調查這種棘手的疾病呢！要是傳染給我，我該怎麼辦？」

鬼燈醫生繼續勸說：「人類不會染上妖怪的疾病，正是因為這樣，我才拜託你幫忙啊！要是拜託座敷童子，他很可能會染病呢！」

為了預防萬一，我再次向鬼燈醫生確認：「我真的不會染上妖怪的疾病嗎？」

鬼燈醫生用力點頭說：「真的，絕對，幾乎，可以說是，九成九不會傳染給你！」

雖然鬼燈醫生的語氣很堅定，但他說的話很不可靠。鬼燈醫生看我有些猶豫，完全不給我反駁的機會，從手拿沙鈴的石猴旁的看診包中，拿出筆記本和原子筆。

「好了，我們快走吧！第一站就是蟾蜍夫人家，我們要拯救妖怪世界的危機。恭平，跟我來！」

鬼燈醫生將筆記本和筆塞到我手中，立刻轉身就走。我看著鬼燈醫生的背影，發出一聲比海還深的嘆息。

「我知道了啦，我去就是了，這下你滿意了吧！」

5 古典樂迷蟾蜍夫人

蟾蜍夫人的家就在三申堂下方的溼地之中，四周圍著黃色土牆，加上綠色的尖形屋頂，是一棟看起來略顯陰森的西式洋房，矗立在茂密的香蒲花穗裡。

溼地的岸邊有一座木棧橋，直接連結西式洋房的大門。我與鬼燈醫生走上木棧橋，來到門口，搖了搖掛在門旁的搖鈴，等待蟾蜍夫人現身。

可是，我們搖了好幾次鈴，遲遲等不到回應，蟾蜍夫人也沒有

出現。

鬼燈醫生和我默默站在門前對看了一眼，心中湧現一股不祥的預感。我們都很擔心，該不會她已經在家裡變成石頭了吧？

鬼燈醫生再也等不下去，對我說：「進去看看吧！」

我屏息看著鬼燈醫生伸出手，轉開門把，玄關大門立刻打開，昏暗的家中傳出震耳欲聾的音樂聲。

突如其來的音樂聲讓我嚇一大跳，鬼燈醫生向我解釋：

「蟾蜍夫人很喜歡古典樂，她有一套連人類內行人都會臣服的頂級音響設備，不曉得她是從哪兒弄來的。她還在家裡裝了完整的隔音設備，只要有空就會在家聽古典樂。聽說她還會親自演奏長號，現在播放的曲子是布拉姆斯的〈搖籃曲〉。」

我與鬼燈醫生走進樂聲大作的屋裡，內部空間十分昏暗，就像在水底一般。牆面細長的窄窗上鑲嵌著藍色的磨砂玻璃，使得整間屋子瀰漫在隱約朦朧的藍光中。

地面鋪著微溼的苔蘚地毯，客廳正中間有一張摸起來極為光滑，用白色石頭做的沙發，前方放著以巨木橫切而成的美麗圓桌。牆邊沉穩厚重的石櫃子裡，放著蟾蜍夫人引以為傲的音響設備，正在大聲播放音調輕柔的搖籃曲。櫃子旁的立架上還掛著長號。

我看見房子最裡面掛著窗簾的窗戶前，吊著一張用水草編成的吊床，有個人影正躺在吊床上睡覺。

定睛一看，原來那不是人類，而是跟人一樣大的蟾蜍！有蹼的雙手交叉放在閃著光芒的凸肚上，一隻腳從吊床邊往下垂，嘴巴張得大大的；雖然睡姿很不雅觀，但看起來睡得很香。

鬼燈醫生踩在苔蘚地毯上，往音響設備走去，關掉播放鍵後，走到吊床旁。

「喂！蟾蜍夫人，醒醒啊！快醒醒！」鬼燈醫生伸手搖晃吊床，躺在吊床上的蟾蜍夫人突然睜開雙眼。

下一秒蟾蜍夫人大聲尖叫，從吊床上跳了起來。

「啊！你們這樣隨便闖進別人家，究竟想做什麼？」蟾蜍夫人怒氣沖沖的斥責我們，強勢逼問鬼燈醫生。

鬼燈醫生趕緊解釋：「不是這樣的……我們不是隨便闖進來的……我們有搖門鈴。可是，一直沒有聽到你的回應，擔心你是不是也變成石頭，才走進來察看狀況。還好你沒事，真是太好了。」話才說完，鬼燈醫生冷不防的抬起蟾蜍夫人的一隻腳，仔細觀察。

接著鬼燈醫生說：「嗯，你的腳摸起來溼溼滑滑的，沒有石化的徵兆。恭平，在蟾蜍夫人的紀錄表上寫『沒有異狀』。」

蟾蜍夫人氣得兩眼發直，用力抽回被鬼燈醫生抓住的腳，眼神犀利的瞪著鬼燈醫生。

剛剛還張開大嘴打鼾的蟾蜍夫人，現在則擺出優雅的姿態，微微抬起下巴說：「你說我會變成石頭？你到底在說什麼？不要隨便開這種玩笑，一點也不好笑！我精心打造了優美氣氛，欣賞美妙的音樂，被你們這麼一攪和全都泡湯了！」

鬼燈醫生對蟾蜍夫人說：「真的很抱歉，我們馬上就走。在我們走之前，可以向你請教幾件事嗎？

「我想知道，昨天晚上你在哪裡，做了些什麼事？當時有沒有發生什麼跟平常不一樣的事情？或遇到什麼奇怪的狀況？不管什麼事都好，我希望你能告訴我。」

蟾蜍夫人回答：「昨晚月亮還沒出來之前，住在山上三申堂的那三隻猴子就在跳舞嬉鬧，吵得我受不了。而且不是只有猴子在吵，連狐狸都在號叫。真不知道狐狸到這座山做什麼？我猜可能是猴子們請狐狸一起來喝酒吧？

「他們真的太吵了，我索性將窗戶關起來，一直在家聽古典樂。對我來說，美妙的音樂就跟豐盛的美食一樣。音樂在我心中流動，讓我感到滿滿的幸福。啊！動人的舒伯特！布拉姆斯！莫札特！」

蟾蜍夫人在吊床上沉醉在自己的世界，鬼燈醫生轉身向我走來，聳聳肩小聲的說：「看來蟾蜍夫人派不上用場……」並用眼神示意我離開。「總之，你先將她剛剛說的話全部記下來。」

我們離開蟾蜍夫人家後，再次走進森林裡。

我問：「我們要去哪裡？」

鬼燈醫生回答：「旁邊有一座七化池，裡面住著鯰魚和尚。池子北邊有一間蝙蝠一族住的石屋。我們先去找鯰魚和尚問問，再去看看蝙蝠一族的狀況。」

6 博學多聞的鯰魚和尚

七化池是一座隱身在茂密森林的小池塘。池塘四周長滿雜草和樹枝交錯生長的矮樹，看起來就像是天然圍籬。池水倒映著樹木雜草的顏色，顯得有些混濁，完全看不清池底的模樣。

我不由得想，要是鯰魚和尚變成石頭沉入水底，我們根本無法察覺。不過，接下來發生的事，讓我明白我想太多了。

只見鬼燈醫生對著池塘大喊：「喂！鯰魚和尚！鯰魚和尚！」

不一會兒，鯰魚和尚立刻現身。

我看見綠色水池中央似乎有東西要浮上來，仔細一看，原來是一位身穿黑色袈裟的和尚。和尚以低沉的聲音問：「你找我有什麼事？」

這是一隻會變身術的鯰魚，他化身為和尚的模樣真是維妙維肖。站在池塘中央的姿態，簡直跟人類世界的和尚一模一樣。唯一的破綻就是鼻子兩側各長了一條鯰魚鬚。

鬼燈醫生立刻問站在水面的鯰魚和尚：

「和尚，抱歉打擾你，我有事向你請教。你昨天晚上有沒有看見或聽見跟平常不一樣的事情？或遇到什麼奇怪的狀況？

「不瞞你說，今天早上七化山有人生了奇怪的病，這種罕見的怪病會讓身體變成石頭。那些病人昨天都還好好的，今天早上卻突然從腳尖開始石化，蔓延全身，現在他們全都變成硬邦邦的石頭了。

「這座山裡總共有四隻妖怪同時罹患相同疾病，無論從哪個角度來看，這絕對不是巧合。生病的原因絕對在七化山。

「不管什麼事都好，你是這座山最博學多聞的智者，如果你發現了什麼或想到了什麼，請務必告訴我。」

鯰魚和尚一邊聽著鬼燈醫生說話，一邊伸手搓揉長長的鬍鬚。

過了一會兒，嘴巴開始發出噗嚕嚕的聲音，大大的吐了一口氣後，對鬼燈醫生說：

「那幾隻猴子昨天嬉鬧了一整晚，野豬夫婦被猴子們吵得睡不著，不斷抱怨，還繞著森林走。

「蟾蜍把自己關在家裡沒出門。我猜她一定在聽自己最喜愛的古典樂，聽了一整晚。

「那隻大蛇嘛……她在池塘邊脫皮。只要在那一帶找一下，一定可以找到那傢伙脫下來的皮。

「至於蝙蝠一族，他們還是跟往常一樣在空中高高低低的盤旋

著。直到快要黎明的時候，才回到石屋休息。

「我昨晚也跟以前一樣潛入池底汙泥中，昏昏沉沉的睡著了。我雖然在汙泥中，但還是可以透過水的振動，掌握山裡的情形。我可以分辨從很遠的地方發出的聲音。」

鬼燈醫生問：「那麼，你有發現什麼奇怪的事情嗎？」

「嗯，你等一等。」鯰魚和尚話一說完便閉上眼睛沉思。

不一會兒，他睜開眼睛說：

「我想起來了，在猴子們的嬉鬧聲中，還夾雜狐狸的號叫聲。這座山沒有狐狸，所以聽到狐狸叫聲的時候，我還覺得很稀奇呢！」

我看見鬼燈醫生探出身體觀察池塘，鯰魚和尚的話引起了他的注意。鯰魚和尚也聽見了狐狸叫聲……這是否表示昨天晚上有狐狸闖進這座山？

鬼燈醫生進一步追問：「狐狸？你聽見狐狸的叫聲嗎？再說清楚一點，你聽見什麼樣的聲音？狐狸在哪一帶號叫？總共有幾隻？」

鯰魚和尚回答：「聲音是從三申堂那邊傳來的，剛開始我聽見很短促的叫聲，有點像『嚎、嚎、嚎嗚』這樣的聲音。之後隨即傳來音調很高的遠吠聲，類似『嗄、嗄』的叫聲，像是在回應之前的聲音。

「我是在猴子唱歌跳舞的過程中聽見狐狸叫聲的，所以我原本想，該不會是三申猴邀請狐狸一起來開派對吧！

「不過，話說回來，這世上根本沒有狐狸會來七化山玩。那些狐狸老是說自己的變身術才是真正的變身術，壓根瞧不起住在七化山的妖怪。

「過去曾經有一隻離開狐群生活的狐狸住在七化山，但那傢伙後來不見了。從那之後，很長一段時間這座山都沒有狐狸。若真如此，我聽見的狐狸叫聲又是怎麼一回事？」

說完後，鯰魚和尚靜靜的沉入泥沼裡。

我將鯰魚和尚的證詞記錄下來後，對鬼燈醫生說：「野豬先生和蟾蜍夫人也說了相同的話，昨天晚上果然有狐狸在叫。」

「嗯，這就奇怪了。他們都說聲音是從三申堂那裡傳過來的，可是聞猴爺爺完全沒有提到狐狸的事情。雖說聞猴爺爺耳朵不好，但若是真有陌生狐狸在他家附近遊蕩，聞猴爺爺應該會發現才對啊！」

鬼燈醫生腦中想著剛剛聽到的話，轉身離開池邊。接下來他要去蝙蝠一族住的石屋。

我說：「這樣看來，似乎沒有其他妖怪變成石頭。蟾蜍夫人看起來中氣十足，鯰魚和尚也沒有異樣……所以生病的應該只有三申猴其中兩隻猴子和野豬夫婦而已吧？」

鬼燈醫生沒有回應我的話，默默的在森林中走著。

我們就這樣走了一會兒，在茂密樹林中，突然出現一片石頭切割而成的牆壁，牆面正中央有一條直向的裂縫。

鬼燈醫生指著岩石裂縫說：「那裡就是蝙蝠石屋的入口。」

走近一看，那條裂縫很窄，只夠一個人通過，看得出裡面十分黑暗。

鬼燈醫生將頭埋進裂縫，對著裡面大叫：「哈囉！」岩屋裡沒有任何回應，悄然無聲。蝙蝠一族現在應該安靜的吊掛在石屋天花板上，睡得正安穩。

鬼燈醫生嘆了一口氣，打開看診包四處翻找，取出一支手電筒，按下開關。

鬼燈醫生將手電筒伸進岩石裂縫，就著柔和的圓形光暈察看石屋內部。

我正想探出頭，從鬼燈醫生的背後觀察石屋內部。

就在此時，鬼燈醫生突然急促的大叫一聲：「啊！」

我趕緊問：「發生什麼事？」

我的視線越過鬼燈醫生的肩膀，看向石屋天花板，同時看見了

手電筒的燈光映照出來的場景。

鬼燈醫生喃喃自語的說：「這究竟是怎麼一回事……」

只見漆黑一片的石屋天花板下，吊掛著三十三隻蝙蝠石像。

7 會變成石頭與不會變成石頭的妖怪

「究竟是什麼原因導致這樣的結果？這座山到底發生了什麼事？」

鬼燈醫生走進樹林，朝三申堂的方向前進，嘴裡一直唸唸有詞。

鬼燈醫生平時總是自信滿滿，我還是第一次看到他這麼煩惱。

發現石化的三十三隻蝙蝠後，鬼燈醫生和我前往蛇御前的家，她是這座山裡我們最後查訪的居民。蛇御前化身為女性模樣，身穿

鱗片圖案的時髦和服，繫上金色腰帶故作風情。她看起來十分正常，一點異狀也沒有，看不出石化的徵兆。

蛇御前面帶笑容的對我們說：

「我昨天晚上才剛脫皮，感覺重獲新生呢！」還向我們形容昨晚三申猴大聲嬉鬧的場景，同時證實野豬夫婦在森林裡走來走去的事情。

後來，鬼燈醫生問她是否聽見兩隻狐狸

的號叫聲？只見她輕輕的搖了搖頭，對我們說：「沒有，我沒聽見狐狸號叫的聲音。」

蛇御前的答案讓鬼燈醫生更加摸不著頭緒，其實我也一樣，完全搞不清楚這究竟是怎麼一回事。

鬼燈醫生踩著樹林裡的落葉往前走，低聲的說：

「為什麼有些妖怪會變成石頭，有些妖怪又不會呢？這到底是怎麼回事？昨天晚上真的有狐狸跑到七化山來嗎？究竟有還是沒有？」

鬼燈醫生不斷自問自答，拚命想找出答案。「變成石頭的妖怪包括野豬夫婦，還有喝酒嬉鬧的三隻猴子中的其中兩隻，他們分別拿著沙鈴與橫笛。就連無聲的在空中盤旋的蝙蝠一族也全都變成石頭。

相反的，蛇、蟾蜍和鯰魚全都好好的，沒有變成石頭。打鼓的猴子也沒變成石頭。這兩者之間究竟有何差異？為什麼有些妖怪會變成石頭，有些不會？有些妖怪染上石化症，有些卻沒有？」

我推測說：「會不會這不是病，而是詛咒呢？說不定是有人對那些變成石頭的妖怪下咒，他們才會石化？」

鬼燈醫生反問：「那你說說看，是誰對昨天喝酒喝得太開心的三申猴其中兩隻，成天唸唸有詞的野豬夫婦，以及只是在空中盤旋，根本沒得罪任何人的三十三隻蝙蝠下咒？」

鬼燈醫生這麼問，我也不知道答案。而且我又不是妖怪專家。

鬼燈醫生陷入沉思，不發一語，我也在一旁默默生悶氣，我們兩個就這樣互不理睬的在森林裡朝三申堂的方向走。

就在此時，從三申堂傳來謎樣的聲響。

嚎、嚎、嚎、嚎嗚！

嚎嗚！嚎、嚎！

我警覺的停下腳步，鬼燈醫生也立刻停下來，仔細聆聽。

嚎、嚎、嚎嗚！嚎！

嚎！嚎、嚎、嚎嗚！

我大叫：「是狐狸！」

鬼燈醫生說：「不……這不是狐狸的叫聲。」

「怎麼會？」正當我百思不得其解，又聽見另一陣聲音。

嘎、嘎嘎、嘎！

這陣聲音與剛剛的聲音不同，是另一隻狐狸的叫聲。聲調聽起來較高昂，感覺很悲傷。

鬼燈醫生突然大喊：「原來如此！該不會是……！」接著拔腿狂奔。

「欸！等等我！」看到鬼燈醫生往前跑，我也趕緊跟上腳步。我們離三申堂愈來愈近，狐狸的號叫聲也跟著愈來愈大。

嚎、嚎、嚎！

嗄、嗄、嗄！

鬼燈醫生和我穿過樹林，跑到三申堂前的空地。

此時空地的狀況和之前我們來的時候沒有兩樣，石頭旁有兩尊變成石頭的猴子，聞猴爺爺還是在石頭上。

唯一不同的是聞猴爺爺在打鼓，發出咚、咚、咚、咚的聲音。

我忍不住大喊：「原來是這麼一回事！」這不是狐狸的叫聲，而是鼓聲！

嗄、嗄、嗄！

像是在呼應爺爺的鼓聲，我又聽到另一陣聲音。

我一邊四處張望，想找出聲音的來源，一邊心想：「這個到底是誰發出的聲音？」

空地上只有兩尊石猴和打鼓的聞猴爺爺，還有我和鬼燈醫生，除此之外，沒有其他人。

鬼燈醫生跑到石頭下方，對著聞猴爺爺大吼：「老爺爺！停下來，不要打鼓！」

可是，耳朵不好的聞猴爺爺依舊繼續打鼓，沒聽見鬼燈醫生的吼叫。

嚎！嚎、嚎！嚎！

鬼燈醫生立刻伸出手，將聞猴爺爺手中的鼓搶了過來。

嘎、嘎！嘎、嘎、嘎、嘎！

最後聽到這陣聲音時，我發現一件令人驚訝的事情。這陣聲音是從聞猴爺爺與鬼燈醫生所處的空地中央發出來的！

我這才明白究竟是什麼東西發出「嘎、嘎、嘎」的聲音。

「石頭……石頭在叫……」

8 狐狸叫聲的祕密

我瞠目結舌的盯著石頭看。

聞猴爺爺自從手中的鼓被鬼燈醫生搶走後，就一直坐在石頭上發呆。

鬼燈醫生在我們面前專心端詳手中的鼓，還用手掌撫摸鼓面。

不久，鬼燈醫生說：「果然跟我想的一樣。當我知道博物館被偷的樂器名字時，就該發現這一點。」

我問：「你發現什麼了？」

鬼燈醫生回答：「這個鼓的名字叫『子狐』，我早該察覺這個名字的由來。你看這裡，你知道這是什麼皮嗎？這是狐狸的皮。」

我驚訝的大叫「什麼」，一面緊盯著鬼燈醫生手中的鼓。

鋪在鼓的兩面、摸起來粗粗的圓形皮革，反射出暗沉的黑色光芒，看來這個鼓已經轉過許多人之手，被敲打過無數次。

「由於鼓皮是狐狸皮做的，打鼓時發出的聲音很像小狐狸的叫聲，所以才取名為『子狐』。」

我盯著發黑的皮革，想起「咚咚」的鼓聲，覺得鬼燈醫生說的很有道理。

我不禁又問：「可是……為什麼石頭會叫呢？剛剛聞猴爺爺打鼓時，底下的石頭在叫，我相信醫生你應該也聽見了。」

我的話一說完，鬼燈醫生不發一語的環顧地面，從腳邊撿起一根扁平的樹枝。

接著他對我說：「沒錯，這件事出乎我的意料之外。老實說，當我發現『嚎嚎嚎』是鼓聲時，我一直以為是被做成鼓皮的小狐狸的媽媽受到鼓聲吸引，才跑來七化山。

沒想到發出聲音的不是狐狸，而是這塊石頭。這塊石頭像是呼應鼓聲般發出『嘎嘎』的哀鳴。這難道是……」

鬼燈醫生拿起扁平狀樹枝，開始從石頭前端刮下包覆石頭生長的苔蘚，同時對我說：「恭平，別光看，你也來幫忙。」

我立刻從地上撿起大小適中的樹枝，與鬼燈醫生一起把苔蘚刮下來。

「果然跟我想的一樣。」鬼燈醫生話一說完，停下手邊的動作。

此時我還不知道苔蘚下方究竟有什麼。

於是我問鬼燈醫生：「跟你想的什麼一樣？這是怎麼一回事？」

聞猴爺爺坐著的石頭，大小跟四層或五層跳箱差不多。鬼燈醫生和我已經將石頭前端的苔蘚全部刮下來。之所以用前端來形容，是因為那個部分稍微往前突出，看起來像是鼻子。

我將臉湊近完全裸露在外的石頭表面，想看清楚上面到底有什麼玄機。

鬼燈醫生看到我的舉動，立刻對我說：「這麼近看不出來，退後一點看。你看到什麼了？不，應該說，你覺得這塊石頭看起來像什麼？」

我按照鬼燈醫生的話，稍微往後退幾步，望著整顆石頭看。

被苔蘚包覆的石頭看起來像是趴著，鼻子的部分貼在地上。身體趴得極低，屁股微微抬起……

正當我這麼想的時候，我終於明白鬼燈醫生在說什麼，不禁驚呼出聲：

「我知道了！」

受到苔蘚包覆的影響，我之前一直沒看出來，現在才發現這塊石頭看起來很像趴在地上的狐狸。我看見一尊巨大的狐狸石頭趴在眼前！

「哎呀！」待在石頭上的聞猴爺爺難得的說話了。「我想起來了！這塊石頭叫做狐狸岩。很久很久以前，有一隻在人類世界為非作歹的狐狸妖怪，被法力高強的和尚變成石頭，就是這塊石頭啊！」

聞猴爺爺話一說完，鬼燈醫生接著補充：「很久以前，人類世界與妖怪世界往來很頻繁，不像現在涇渭分明。平安京②的都城住著跟人類一樣多的妖怪，離都城較遠的原野和深山，更是住滿了妖怪。我猜想這隻狐狸一定經常從七化山跑到人類世界為非作歹。」

鬼燈醫生話還沒說完，聞猴爺爺就開口說話了。

只見聞猴爺爺望著遠方，自顧自的說起過去的事情：

「話說這塊狐狸岩的狐狸是脫離狐狸一族的獨行俠。

很久很久以前，人類世界久旱不雨，為了求雨，特別請來一名女巫跳祈雨舞獻給水神。就在這個時候，人類抓了一隻小狐狸，扒下他的皮特製成求雨用的鼓。那隻小狐狸的媽媽就是狐狸岩的狐狸。

「女巫的求雨舞很有效，雨很快就下來了。但那隻孩子被抓的狐狸媽媽極度痛恨人類，從此之後便離開狐群，獨自住在七化山。不時到人類世界為非作歹。

「當時她做了許多壞事，不僅將庄屋③大人田裡剛長出來的茂密稻穗吃得一乾二淨，還把大石頭從山上推下來，砸壞蓋在山腳下的房子。後來，出現一位法力高強的和尚，將那隻狐狸媽媽變成石頭，也就是這塊石頭。」

我問：「那麼，你的意思是，這塊石頭和這個鼓——應該說做成鼓皮的狐狸，是母子關係嘍？」

沒等聞猴爺爺回答，鬼燈醫生先解開了我的疑惑。

「正因為如此，鼓和石頭才會互相應和。和尚利用他的法力將狐狸媽媽變成石頭，這塊狐狸岩在七化山沉睡了好幾百年。另一方面，用小狐狸的皮做成的鼓，在人類世界流傳了好幾百年。直到昨天，三申猴跑到人類世界將鼓偷出來，在七化山打鼓作樂。

「用小狐狸的皮做成的鼓發出的嚎叫聲，喚醒了變成石頭的狐狸媽媽的靈魂。狐狸媽媽為了呼叫自己的小孩，也發出聲音回應。這就是昨晚在七化山出現兩隻狐狸互相號叫的真正原因。我相信狐狸的叫聲正是引發神祕石化症的關鍵。簡單來說，凡是聽見狐狸岩叫聲的妖怪，全都變成石頭了。」

我不禁大叫：「什麼！不會吧？狐狸岩的叫聲是散播疾病的原因？只要聽見聲音就會變成石頭，這……可能嗎？」

我不只嘴上大驚小怪，內心也瀰漫著一股不安的情緒。

鬼燈醫生態度沉穩的說：「我說的都是真的。以前希臘神話中也有一個名為『美杜莎』的女妖，據說舉凡直視她的人都會立刻變成石頭。雖然後來神的兒子珀耳修斯將她的頭顱砍下來，但聽說光是看著美杜莎的頭顱也會變成石頭。

「既然只看臉就會變成石頭，那麼這個世界上若存在著光聽聲音就會石化的病，也不算異想天開。

「這隻狐狸媽媽不只是小孩被人類抓走，就連自己也被施法變成石頭，相信她心中對人類的恨意一定很強烈，就這樣在這裡趴了好幾百年。這塊石頭如此特殊，經年累月下來竟也修煉出媲美美杜莎的妖力。」

我接著問：「可是……要是

聽到聲音就會變成石頭，那這座山的所有妖怪都會變成石頭才對啊？」

鬼燈醫生回答：「聞猴爺爺聽不見狐狸岩的聲音。蟾蜍夫人待在隔音設備絕佳的家裡，所以幾乎沒聽見狐狸的號叫聲。蛇御前也聽不見狐狸的叫聲；蛇天生聽覺就不發達，除非是在近距離發出極大聲響，否則絕對聽不見狐狸的聲音。

至於鯰魚和尚，他確實聽見了狐狸的叫聲。雖說鯰魚和其他魚類耳朵還挺靈敏，但他們的耳朵與人類的耳朵構造截然不同。魚是利用位於頭蓋骨的『內耳』和身體表面的『側線』接收聲音，內耳裡有半規管和裝著耳石的囊袋，裡面充滿淋巴液……」

我輕輕的咳嗽一下，將岔開話題的鬼燈醫生拉回來。

「嗯，細節就不多說了……」鬼燈醫生接著說：「簡單來說，魚和蛇既沒有耳道，也沒有鼓膜。我猜測引發石化症的病毒，或者說是病原菌，一直在狐狸岩中孳生。當狐狸岩發出聲響，病毒或病原菌便隨著音波擴散，從接收聲音的耳道進入體內，釋放讓身體石化的毒素。

「正因如此，無法接收音波的聞猴爺爺才沒有生病。蟾蜍夫人受到隔音設備的保護，也沒有遭到波及。鯰魚和尚雖然有接收到音波，但他沒有耳道，病毒或病原菌就無法進入體內。蛇御前沒有聽見聲音，也沒有耳道，幸運逃過一劫。」

「那……」

我已經快要被心中的不安淹沒了，我快承受不住了。我盯著布滿使人石化的可怕病毒或是病原菌的狐狸岩，一步步往後退，忍不住朝鬼燈醫生大吼：

「那我該怎麼辦才好？我剛剛也聽見這塊石頭發出的聲音！我……我就快變成石頭了！」

②日本在西元七九四年桓武天皇從舊都長岡京遷都後，至一八六八年明治天皇遷都東京期間的首都，相當於現在京都府京都市中心地區。

③江戶時代村落首長職位之一，在郡代、代官身邊處理村落政務。

9 我也會變成石頭嗎？

「冷靜點，你先冷靜下來……」鬼燈醫生趕緊安撫我的情緒。「先不要著急，恭平。我之前不是說過了嗎？你不用擔心，妖怪生的病九成九不會傳染給人類，就像人類生的病不會傳染給妖怪一樣。

「直視美杜莎的人類會立刻變成石頭，但從沒聽說妖怪見到美杜莎也會變成石頭，這是同樣的道理。要是你會變成石頭，那我一定也會變成石頭。如果真是這樣，那我絕對會急得像熱鍋上的螞蟻。既然我現在一點事也沒有，你也不必過度擔心。」

「我怎麼可能不擔心？」我不由得大叫。「那隻狐狸妖怪恨的是人類啊！既然生病的原因是狐狸岩發出的聲音，那隻狐狸那麼恨人類，人類一定會比妖怪更容易生病才對啊！你說你一點事也沒有，代表我也可以放心，這種話我才不相信呢！你住在妖怪世界，每天看妖怪的病，早就免疫了，你不要把我跟你相比啦！」

「好，聽我說，冷靜點，你先冷靜下來……」鬼燈醫生再次安撫我的情緒。「你真的很杞人憂天耶！我剛剛已經說過你染病的可能性是零，退一步說，就算萬一你真的生病了，這個病也有潛伏期。山裡的妖怪第一次聽見狐狸的聲音是在半夜，可是發出SOS緊急求救訊號是在白天的時候。這就代表只要在發病前找到治療方法，不管有沒有染病都無須擔心。

「我現在已經知道罹病的原因，接下來只要找出引發疾病的罪魁禍首，再好好解決他即可。好了，我們趕緊收集病毒樣本吧！」

鬼燈醫生話一說完，便將手裡的鼓塞進放空的聞猴爺爺手中，轉頭翻找看診包，像是在準備什麼。

鬼燈醫生首先拿出光亮潔淨的黑色顯微鏡，將顯微鏡放在聞猴爺爺腳邊的石頭上。

聞猴爺爺看到顯微鏡覺得新奇，想湊近一點看個仔細，卻被鬼燈醫生狠狠瞪了一眼，還快速的伸出手制止他說：「不准碰！」接著繼續從包包拿出下一個物品。

只見他拿出一根特大號的棉花棒，看起來很像人類耳鼻喉科醫生常用的那種。接著又拿出一個金屬製的銀色漏斗狀工具。

「好了，開始吧！」鬼燈醫生說完，便作勢將銀色漏斗的尾端放進我的耳朵。

我嚇得趕緊摀住耳朵，四處竄逃。「等、等、等、等、等一下！你想幹什麼？」

鬼燈醫生說：「我這麼做只是為了方便收集樣本，不用怕。」

我說：「收集樣本跟我的耳朵有什麼關係？」

「我打算請聞猴爺爺再打一次子狐鼓，等狐狸岩回應鼓聲開始號叫，我就立刻收集隨著音波進入你耳裡的病原菌、病毒，或者是任何物質，迅速採集樣本，放在顯微鏡下找出真相。」

我不禁大叫：「你說什麼？我才不要，為什麼要我犧牲？我又

不是白老鼠！再說，剛剛你也說了，這個疾病不會傳染給人類，既然不會傳染，為什麼那個病原菌，還是什麼病毒的，會跑進我的耳朵呢？」

「當然會跑進你的耳朵啊！」鬼燈醫生態度平淡的說：「雖然會跑進你的耳朵，但不會傷害你的身體。要是真的有害，我也會很快找到治療方法，你無須擔心。明白了嗎？明白的話，那就開始吧！為了拯救七化山裡變成石頭的妖怪們，請務必當白老鼠……不，你一定要幫幫我！」

我在心裡哀號：「又來了……」只要跟鬼燈醫生在一起，就沒好事發生。每次遇見他，我一定會被捲入危險的事件之中。

我大大的嘆了一口氣，鬼燈醫生將冰冷的金屬漏斗尾端伸進我的耳朵。

接著鬼燈醫生誇張的擺動身體，示意聞猴爺爺「打鼓」。

起初聞猴爺爺還有些猶豫，來回看著手中的鼓和鬼燈醫生，不一會兒，就開始愉快的打起鼓來。

「嘿唷！嘿唷！」

嚎、嚎、嚎、嚎！

嚎、嚎、嚎、嚎、嚎、嚎！

我屏住呼吸，專注的盯著狐狸岩。不知道是否太緊張，我的耳朵感覺有點癢癢的。就在這個時候……

石頭在叫！石頭發出了高亢的悲傷鳴叫，震動空氣，響徹四周。

嗄、嗄、嗄！

嚎、嚎、嚎、嚎！

嗄、嗄、嗄、嗄！

鬼燈醫生右手握著棉花棒，朝著我一步步走來，對我說：「不要動。」

鬼燈醫生將纏著棉花的棒頭，從漏斗的洞輕輕伸進我的耳道，在我的耳朵深處摩擦一圈後，連同漏斗與棉花棒一起移開。

接下來，鬼燈醫生熟練的將棉花棒頭抹在左手的載玻片上，蓋上蓋玻片後，放上顯微鏡的載物臺。

「爺爺！可以了！不用打鼓了！不、要、再、打、了！」鬼燈醫生舉起雙手，在胸前打了一個大大的叉，示意聞猴爺爺停下來，接著將眼睛湊近顯微鏡的接目鏡。

鬼燈醫生大聲驚叫：「哇！真是出乎我的意料之外。這不是病毒，也不是病原菌，而是一種叫做『狐狸吵架』的妖怪黴菌孢子。這種孢子在妖怪界到處都看得到，是一種極為常見且無害的黴菌……咦？等一下！」

鬼燈醫生屏氣凝神，持續觀察顯微鏡下的樣本。

我很好奇鬼燈醫生到底看見了什麼，發現了什麼，在一旁等得十分焦急。鬼燈醫生盯著樣本看了好一會兒，才抬起頭將胸中的氣全部吐出來。

「嗯，太奇特了，真的很不尋常啊！這個黴菌既像狐狸吵架，卻又不是狐狸吵架。怎麼會這樣？到底發生了什麼事？」

鬼燈醫生雙手抱胸，專心思考。接著打開看診包翻找，又拿出全新的特大號棉花棒與玻片。

鬼燈醫生這次似乎要觀察石頭上的黴菌。他從狐狸岩的表面刮下黴菌，抹在載玻片上，放在顯微鏡下觀察。

「嗯，我明白了。這的確是狐狸吵架黴菌。石頭上的是一般的狐狸吵架，隨著音波傳播的卻是另一種與狐狸吵架很像的黴菌……為什麼會這樣？」

鬼燈醫生問的問題我也沒有答案。

我問：「可以讓我看一下顯微鏡嗎？」

思考中的鬼燈醫生沒有回答我的問題，可是他也沒有說「不行」，所以我想我看一下他應該不會生氣吧？於是我悄悄繞過鬼燈醫生的身邊，湊近放在石頭上的顯微鏡察看。

從顯微鏡的接目鏡可以看見在圓形光暈中，有好幾個像白色蝌蚪，外觀近似逗號的物體游來游去。

令人訝異的是，每隻蝌蚪都長著臉。黴菌竟然有臉，真是不可思議！而且感覺他們很悠閒，看起來很開心的樣子。

我愈看愈著迷，沉浸在顯微鏡下的世界裡，沒想到此時聞猴爺爺突然打起鼓來。或許是因為沒人理他，覺得有些無聊，才想打鼓打發時間吧。

鬼燈醫生不悅的大吼：「喂！老爺爺，安靜點！我現在在想事情。」即使如此，聞猴爺爺還是不停打著鼓。

嚎、嚎、嚎、嚎、嚎！

嚎嗚嚎、嚎！

很快的，狐狸岩也開始號叫。

嘎、嘎、嘎！嘎！嘎！

鬼燈醫生不耐煩的大吼：「哎呀！吵死了！」

此時我還沉浸在顯微鏡下的世界裡，沒想到黴菌樣本竟出現了令我意想不到的變化。

我忍不住驚叫：「哇！」

鬼燈醫生轉頭問我：「怎麼了？」

我的眼睛依舊對著接目鏡，顯微世界發生的變化讓我看得入迷。

嚎、嚎、嚎、嚎！

嗄嗄！嗄！

鼓聲和狐狸岩發出的叫聲相互應和，顯微鏡下的光暈中又出現了奇妙的變化。

我終於看夠了，抬起頭來，向鬼燈醫生說明我剛剛看到的事情。

「醫生……剛剛狐狸岩叫的時候，發生了奇妙的事情。就是說，該怎麼解釋呢……那些黴菌突然發狂了。」

10找到病因了！

鬼燈醫生將我推開，對著接目鏡察看。我相信鬼燈醫生一定也看到我剛剛透過顯微鏡看到的情景。

原本一臉悠哉，搖著尾巴游動的黴菌孢子，其中竟有幾隻——還是該說幾個？——對狐狸岩的聲音產生反應，突然在樣本裡快速的來回游動。

那幾隻迅速游動的孢子不再感覺悠閒，臉上的表情突然變得很生氣，甚至是發狂暴怒。

不只如此，每當狐狸岩發出聲音，就有愈來愈多孢子開始發狂。

「原來如此！原來是這麼一回事！」鬼燈醫生抬起頭，雙眼閃著精光，興奮的大叫。

我趕緊問：「到底是怎麼一回事？趕快說啊！」

「簡單來說……」鬼燈醫生開始說明自己的發現：「這塊石頭封存著狐狸媽媽深深的恨意，孳生在這塊石頭上的狐狸吵架黴菌，長期吸收恨意導致突變。狐狸吵架黴菌原本只是單純無害的黴菌，卻因為突變產生了狂暴的特質。狐狸岩發出的叫聲正是誘發這項特質的催化劑。

「對聲音產生反應而變得狂暴的黴菌愈來愈有活力，隨著音波四處擴散，吸附在妖怪身體上進而侵入體內，釋出讓妖怪變成石頭的毒素。簡單來說，這是被人類和尚變成石頭的狐狸所做的復仇行為。以上就是引起這次騷動的來龍去脈。」

鬼燈醫生說完後雙手抱胸，一臉嚴肅的思考解決方法。

「從現況來看，如果能找到方法讓黴菌恢復到無害的狀態，應該就能治癒疾病。嗯，讓我想一想，一定有方法可以解決。喂，恭平，你剛剛做的筆記給我看一下，我總覺得遺漏了什麼。」

我將筆記本交給鬼燈醫生，裡面記錄著蟾蜍夫人與鯰魚和尚說過的話。

鬼燈醫生仔細查看筆記本，腦袋不斷運轉著。

鬼燈醫生陷入深思之中，聞猴爺爺在一旁不知為何突然興起，又開始打起鼓來。

「嘿唷！」

嚎、嚎、嚎、嚎、嚎！

隨著鼓聲愈來愈高亢，狐狸岩的叫聲也變得愈來愈激動。

嗄！嗄！嗄！嗄！

嚎、嚎嗚、嚎！

嗄、嗄！嗄！

嚎、嚎、嚎、嚎、嚎！

鬼燈醫生再也忍不住搔著頭，對著聞猴爺爺大吼：「啊！吵死了！不、要、再、打、鼓、了！這樣會害我沒辦法思考！快把鼓給我！」

只見聞猴爺爺動作俐落的躲開了鬼燈醫生伸過來的手，從狐狸岩跳下來，雙腳輕快的跳著舞，雙手愉快的打著鼓。

嚎、嚎嗚、嚎嗚、嚎嗚、嚎！

嘎、嘎嘎、嘎嘎、嘎！

嚎、嚎嗚、嚎、嚎嗚、嚎嗚嚎！

嘎、嘎嘎嘎、嘎嘎、嘎、嘎！

兩邊互相應和，真是吵得不得了，但聞猴爺爺像是被什麼附身似的不斷打鼓。一想到眼睛看不見的黴菌孢子隨著這股聲音擴散出去，我頓時感到很不舒服，下意識的摀住耳朵。

「老爺爺！請你不、要、再、打、鼓了！」我也跟著大聲遏止，但聞猴爺爺打鼓的手依然沒停下來。

不但沒停下來，鼓聲還愈敲愈響、愈敲愈快。看到這個情形，我也懶得再吼了。看著不斷打鼓的聞猴爺爺，我與鬼燈醫生面面相覷，不知該如何是好。

「聞猴爺爺到底怎麼了？」就在我話剛說完的時候，響徹四周的鼓聲與狐狸岩發出的淒厲叫聲相互重疊，音調愈來愈高昂。

嚎嗚嚎、嚎！

嘎嘎嘎、嘎！

就在雙方應和到最高點之際，只見一股像煙一樣的白色物體從狐狸岩頂部升騰至空中。

同時，聞猴爺爺手中的鼓也向空中竄出一縷白煙。

緊接著聲音立刻停了下來，四周陷入一片寧靜。

突如其來的發展令我瞠目結舌。狐狸岩和子狐鼓飄出的白煙就在我和鬼燈醫生眼前，各自形成一團宛如棉花的圓形物體。

我小聲的懷疑：「是鬼火嗎？」

鬼燈醫生搖搖頭說：「不，這應該是狐火。被封印在石頭和鼓裡的狐狸媽媽與小狐狸彼此應和，最後各自的靈魂飛入空中。你看，那兩隻狐狸的靈魂發出藍白色光芒，正在互相嬉戲。」

就像鬼燈醫生所說，那兩團在空中飛舞的棉花發出藍白色光芒，互相追逐纏繞般的在空地上方旋轉升騰。

我發現聞猴爺爺還在打鼓，奇怪的是，雖然有打鼓的動作，卻沒聽見鼓聲。

三申堂

那兩團藍白色狐火靜靜的在空地上空盤旋著，看起來十分開心。好不容易相會的狐狸媽媽和小狐狸的靈魂一定很高興可以重逢。那兩團狐火持續往上空盤旋，飛向遙遠的另一端，消失在妖怪世界。

「原來如此，我終於明白了！」我還呆望著狐火，目送他們遠去，鬼燈醫生在我身邊喃喃自語。「我終於明白蟾蜍夫人沒有變成石頭的原因了……」

聽到鬼燈醫生這句話，我趕緊將看向空中的目光移到鬼燈醫生身上。接著問：「什麼意思？不是說因為蟾蜍夫人的家有很好的隔音設備才沒事的嗎？」

鬼燈醫生說：「你還記得嗎？蟾蜍夫人說她有聽到三申堂的猴子們吵鬧不休的聲音，她還聽見兩隻狐狸號叫的聲音，才將窗戶關起來。正確的說，因為外面太吵了，所以她關上窗戶，阻絕外面的聲音，接著才放古典樂。而且，發狂的狐狸吵架黴菌孢子當時早已入侵蟾蜍夫人的耳朵。可是，為什麼蟾蜍夫人得以逃過一劫，沒有變成石頭呢？」

「這個嘛……」我開始思考其中緣由。「會不會是因為進入耳朵的黴菌量太少的關係？」

「不是……」鬼燈醫生搖搖頭。「從石化患者的狀態來看，黴菌的毒素很強，不可能因為量太少而不發病。蟾蜍夫人就連腳趾甲都沒出現石化症狀，可見她並未受到感染。」

「那……為什麼會這樣呢？」這次換我反問鬼燈醫生。

鬼燈醫生擺出自信滿滿的模樣，笑著回答：

「因為毒素被中和了。某個東西中和了毒素，讓黴菌又恢復原本無害的狀態。」

我又問：「恢復原本無害的狀態？什麼意思？」

鬼燈醫生點點頭說：

「你聽我說，狐狸吵架黴菌之所以有毒，是因為狐狸岩發出的聲音。反過來說，這世上一定也存在著能讓有毒的狐狸吵架黴菌變成無毒狀態的聲音。」

蟾蜍夫人因為外面吵鬧而關上窗戶，接著播放唱片，專心聆聽古典樂。此時，夫人的耳朵裡早已附著有毒的黴菌孢子，但這個黴菌並沒有釋放出讓夫人石化的毒素，反而恢復成無害狀態。

「其中的原因就是某個聲音具有將有毒的狐狸吵架黴菌，恢復成無毒黴菌的能力。而這個聲音就是……」

「唱片播放出的音樂？也就是蟾蜍夫人聽的古典樂？」我終於知

道答案了！

鬼燈醫生認同我說的話，接著說：「沒錯，蟾蜍夫人的家有很好的隔音設備，可以完全阻斷外來雜音，因此讓黴菌恢復原狀的聲音絕對來自於屋內。簡單來說，答案就是蟾蜍夫人聽了一整晚的古典樂。」

鬼燈醫生滿意的笑了笑，問我：「你還記得當時蟾蜍夫人家中播的是哪首曲子？沒錯！是布拉姆斯的〈搖籃曲〉。黴菌受到狐狸媽媽的恨意影響而發狂，〈搖籃曲〉的音調讓發狂的黴菌恢復原本單純無害的狀態。

「這下子我們終於可以治癒妖怪們罹患的石化症了，我們要讓整座七化山都聽見布拉姆斯的〈搖籃曲〉！」

11 特效藥是布拉姆斯？

後來鬼燈醫生立刻奔往蟾蜍夫人的家，將夫人家所有的窗戶和門都打開，將音響的音量開至最大，開始播放夫人最喜歡聽的布拉姆斯的〈搖籃曲〉。

接著，我和鬼燈醫生跑到三中堂的空地前，等待曲調柔和的〈搖籃曲〉響徹整座七化山。

過了一會兒，布拉姆斯的〈搖籃曲〉在音波震動的傳送下，開始傳遍七化山的每個角落。

就在此時，對著顯微鏡看的鬼燈醫生大叫：「太好了！狐狸吵架黴菌開始產生變化了！」

「我要看！我要看！」我對著顯微鏡的接目鏡觀察載玻片上的黴菌樣本。

「哇！真的耶！好酷喔！」

剛剛還發狂亂竄的黴菌，隨著〈搖籃曲〉的播放逐漸安靜下來。

黴菌擠在樣本裡游來游去，接著一

隻跟著一隻停止游動，恢復原本輕輕擺動尾巴的模樣。就連臉上的表情也平靜下來，開始露出悠閒的笑容。

「恭平，你注意看！石化現象開始消退了！」

鬼燈醫生一說完，我立刻抬起頭看向兩尊石猴，他們身上開始出現變化。

石化後變得僵硬的身體開始從頭頂慢慢變色，逐漸恢復成原本的模樣。將

全身包得密不透風的黑色岩石紋理，就像白雪融化退去般，由上往下消退，露出真正的猴子身體。

「看來效果不錯啊！」鬼燈醫生滿意的說。「接下來我們去看看野豬夫婦和蝙蝠一族，確認他們是否也恢復原狀吧？」

在緩慢流淌的〈搖籃曲〉音調之中，鬼燈醫生抬起頭露出笑容。

就在布拉姆斯的〈搖籃曲〉播完的時候，見猴與言猴已完全恢復。他們和聞猴一起開心的叫著，慶祝自己恢復健康。

我和鬼燈醫生四處察看的結果，確認野豬夫婦和蝙蝠一族都已恢復原狀，石化症完全痊癒了。

我終於可以放下心中大石，再也無須擔心石化症了。

事情告一段落後，我和鬼燈醫生一起返回人類世界。正當我要從七化山樹林裡的木門，走回樂器博物館的後院時，鬼燈醫生對我說：「哎呀！這次的病症真的很難對付，還好有你當白老鼠——不，還好有你幫忙，我才能找到治療方法。對了，這次你的功勞很大，我得獎賞你才行……」

說著說著，鬼燈醫生在木門前停下腳步，把手伸進口袋，似乎在找什麼東西。「喔！找到了！恭平，把手伸出來，不要客氣。」

我慢慢的伸出一隻手，鬼燈醫生從口袋裡抓出某樣東西，放在我的掌心裡。那樣東西就是……三顆糖果。

「我走嘍！有緣再見！」鬼燈醫生推開木門，樹林裡颳起一陣大風。木門的另一邊就是靜謐安詳的樂器博物館的後院。

又被耍了……我忍不住嘆了一口氣。把人當白老鼠使喚，卻只給三顆糖果打發。

我下定決心「再也不要理鬼燈醫生了！」接著緊跟鬼燈醫生從木門回到樂器博物館的後院。

木門在我身後無聲的關上，我回頭一看，七化山的森林早已消失無蹤。木門的另一頭是一戶挨著一戶的民宅，平時看慣了的後巷。

第二天早上，爸爸一邊吃早餐一邊看報紙，對我說：「對了，恭平……」

「什麼事？」我吃著淋上牛奶的玉米穀片，抬頭看向爸爸。

爸爸說：「這真是令人驚訝啊！樂器博物館被偷的樂器竟然物歸原主了。」

我立刻看向一邊，訝異的回答：「不會吧？」其實，我心裡在想：「這麼說來，三申堂的猴子們將樂器還回去嘍？」

爸爸接著說：「報紙上寫著：『昨晚博物館的職員發現被偷的三樣樂器放在後院木門旁。』」

我點點頭說：「不會吧？」心裡想著：「果然跟我想的一樣。」三申猴從連結七化山與人類世界的出入口，將樂器還給樂器博物館。

「橫笛、鼓與沙鈴都沒有明顯的損害，但聽說只有鼓發不出聲音。鼓皮明明完好無缺，怎麼打都不會響，真是奇怪啊！」

我第三次說出「不會吧？」回應爸爸，爸爸皺著眉頭問我：

「你怎麼了？總覺得你今天早上心不在焉啊！」

「哎呀！我要是不快一點吃完早餐，今天就要遲到了。」話一說完，我立刻將剩下的玉米片與牛奶一起塞進嘴裡，還來不及吞下肚就丟下一句「我吃飽了」，起身離開。

我想我知道子狐鼓再也發不出聲音的理由。

一定是原本封印在鼓裡的小狐狸靈魂被釋放，與狐狸媽媽的靈魂一起飛走的緣故。那個時候小狐狸的靈魂從鼓裡竄出來，和狐狸媽媽的靈魂相互交纏，飛向遠方。在一旁的聞猴爺爺還是繼續在打鼓，我們卻聽不見鼓聲，我相信就是這個原因造成的。

我想起狐狸媽媽與小狐狸的靈魂在空地上空盤旋，互相嬉鬧升騰的情景，不禁覺得心裡暖暖的。

我一邊準備上學，一邊想著：「長期分隔兩界的狐狸媽媽與小狐狸的靈魂終於重逢，真是太好了。」

我聽見媽媽的聲音說：「哎喲！今天真早出門，記得看路，路上小心喔！」

我在玄關回了一句：「我出門嘍！」便出門上學去了。

早上的陽光十分耀眼，冬季冷冽的寒風吹過我的身邊。我似乎聽見晴朗無雲的天空中，傳來小狐狸玩得很開心的聲音。

鬼燈京十郎的診療日記　神祕的石化症篇

1月18日星期五

這次一聽到妖怪們變成石頭，我第一個聯想到的就是「美杜莎」。美杜莎是希臘神話裡的女妖，頭上長滿無數隻蛇，嘴裡長著野豬般的獠牙，還有一對黃金翅膀，是十分兇殘棘手的妖怪。

美杜莎最令人恐懼的是，任何人只要直視她的臉就會變成石頭。最近的妖怪醫學認為，那是因為美杜莎身體裡的病毒或細菌，從對方的眼睛進入體內，才會引起石化現象。七化山的妖怪們變成石頭的時候，我曾懷疑七化山蔓延著和美杜莎病同類型的疾病。

事實上，我在出診前就吃下可以預防這種妖怪疾病的藥物，不過我沒將這件事告訴恭平。醫生若是染上疾病就無法治療患者，因此一定要事先做好預防工作。

話說回來，恭平雖然是個小孩，但還真會杞人憂天，讓我不知如何是好。我都跟他說了妖怪的病九成九不會傳染給人類，還跟他說我會找出治療方法，要他別擔心，他卻一直無法接受，真的很難應付。真希望他看到我這次成功拯救七化山的妖怪，治癒他們的疾病後，能對我有點信心哪！

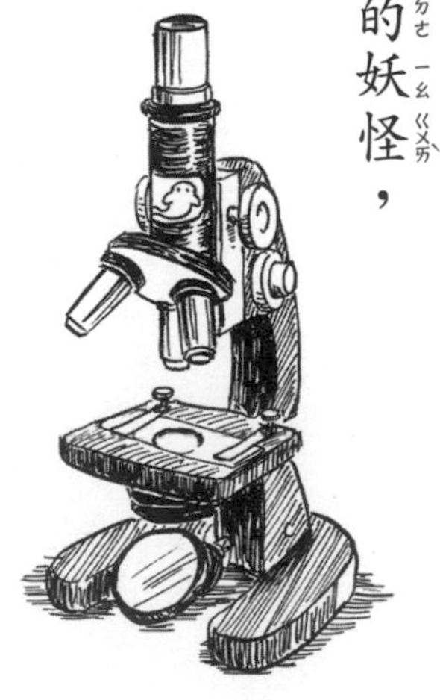

讀書會之妖怪小學堂

小心，不要被變成石頭了！

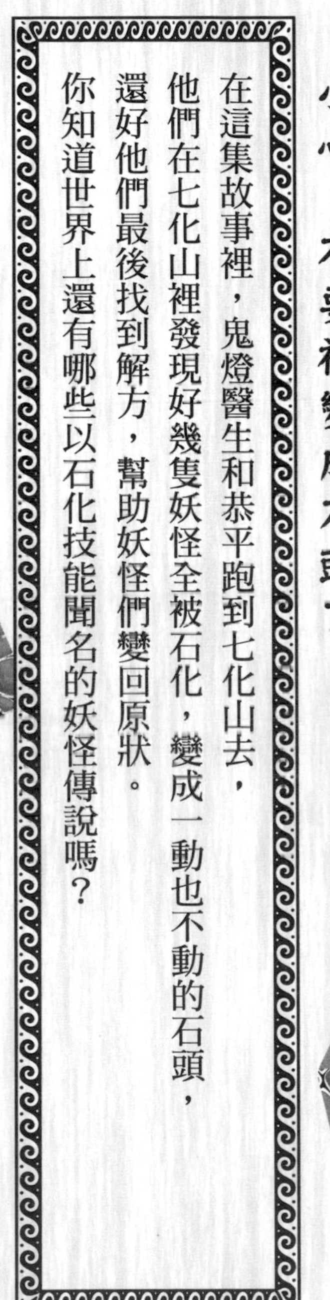

在這集故事裡，鬼燈醫生和恭平跑到七化山去，
他們在七化山裡發現好幾隻妖怪全被石化，變成一動也不動的石頭，
還好他們最後找到解方，幫助妖怪們變回原狀。
你知道世界上還有哪些以石化技能聞名的妖怪傳說嗎？

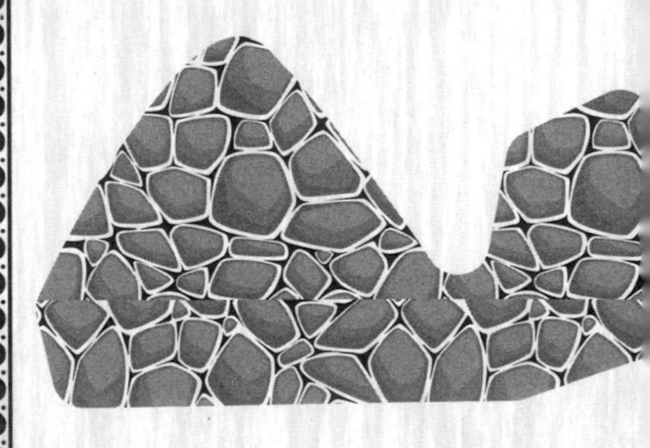

別看蛇髮女妖美杜莎的眼睛

在希臘神話裡，石化能力最著名的，莫過於蛇髮女妖美杜莎了。美杜莎（Medusa）的頭上長的不是頭髮，而是一隻隻的毒蛇。而且，她的眼睛擁有特殊的魔力，可以把與她對視的每個生物變成石像。

宙斯的兒子珀修斯被國王要求要取回美杜莎的頭，以獲得石化的能力。於是珀修斯來到了戈耳工姐妹居住的地方，等美杜莎睡著以後，珀修斯利用盾牌反光的倒影看清美杜莎所在的位置，一把就用神劍砍下美杜莎的頭，飛快裝進皮袋裡。

有了美杜莎的頭，珀修斯把所有的敵人都變成石頭。回到家，國王卻不相信珀修斯已經完成任務，於是珀修斯只好打開皮袋，結果國王的眼睛與美杜莎的眼睛對視，立刻就變成石像了。後來珀修斯把美杜莎的頭獻給雅典娜，裝飾在雅典娜的盾牌上。

據說考古學家在土耳其一座雅典娜的神殿裡發現一顆完整的美杜莎頭像，經過修復以後的頭像陳列在博物館裡。想想看，若是你到那座博物館去參觀，你敢看美杜莎的眼睛嗎？

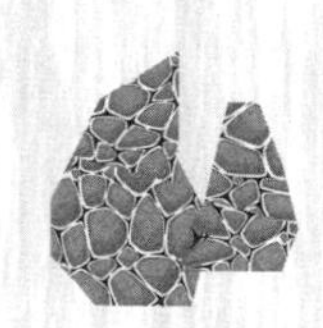

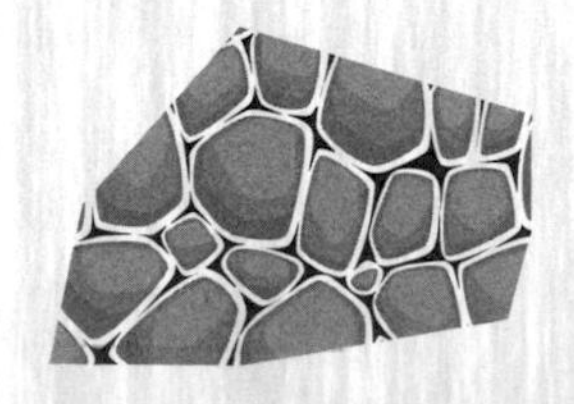

殺生石和九尾狐

位在日本那須火山的日光國家公園裡，在火山口附近有殺生石的傳說。根據公園裡的一塊石碑記述，這塊造成寸草不生、游魚飛鳥盡絕的石頭，與日本的民間故事「九尾狐」有關。

傳說九尾狐幻化成妖姬玉藻前迷惑鳥羽天皇，敗壞朝政，造成民不聊生。後來九尾狐的陰謀被識破，遭追殺到那須火山附近。喪命的九尾狐倒臥在血泊裡，他的怨靈留在滴下的血中，化成毒石，從此經過殺生石的人類和動物都會被石頭噴出的毒氣攻擊，中毒而死。

後來經過高僧渡化，九尾狐的怨靈化成白煙消散，殺生石也被擊碎，才終於了結怨念，從此不再害人。

中國也有九尾狐幻化成禍國妖女的傳說。據說，商朝的紂王就是被九尾狐化身的妲己迷惑，才會把國家治理得水深火熱，最後整個國家都覆滅了。

又像雞又像蛇的可怕妖怪

雞蛇（Cockatrice）也稱為蛇尾雞，這種妖怪在歐洲中世紀時代的繪畫、圖騰、雕刻或建築上經常看得到。據說，雞蛇是從公雞所生的蛋，被蛇或蟾蜍孵化出來的妖怪，上半身長得像公雞，有雞冠和雞翅，下半身卻是蛇身蛇尾。雞蛇是一種令人恐懼的妖怪，因為他比美杜莎更厲害，不只用眼睛注視能夠石化生物，甚至會致人於死。幸好，他們也有弱點，他們害怕聽到雞叫聲或是在鏡子裡看到自己。萬一你遇上雞蛇，千萬記得避開他們的眼睛，然後，一邊學雞叫一邊快速逃走吧。

妖怪醫院 6

SOS! 七化山的妖怪們

作者｜富安陽子
繪者｜小松良佳
譯者｜游韻馨

責任編輯｜許嘉諾
美術設計｜林佳慧、Abrand Design
行銷企劃｜葉怡伶

天下雜誌群創辦人｜殷允芃
董事長兼執行長｜何琦瑜
兒童產品事業群
副總經理｜林彥傑
總編輯｜林欣靜
主編｜李幼婷
版權主任｜何晨瑋、黃微真

出版者｜親子天下股份有限公司
地址｜台北市 104 建國北路一段 96 號 4 樓
電話｜（02）2509-2800　傳真｜（02）2509-2462
網址｜ www.parenting.com.tw
讀者服務專線｜（02）2662-0332　週一～週五：09:00~17:30
讀者服務傳真｜（02）2662-6048
客服信箱｜ parenting@cw.com.tw
法律顧問｜台英國際商務法律事務所 · 羅明通律師
製版印刷｜中原造像股份有限公司
總經銷｜大和圖書有限公司　電話：（02）8990-2588

出版日期｜ 2017 年 9 月第一版第一次印行
　　　　　2022 年 8 月第一版第十三次印行
定　　價｜ 260 元
書　　號｜ BKKCJ042P
I S B N ｜ 978-986-95267-1-5

訂購服務
親子天下 Shopping ｜ shopping.parenting.com.tw
海外 · 大量訂購 ｜ parenting@cw.com.tw
書香花園｜台北市建國北路二段 6 巷 11 號 電話（02）2506-1635
劃撥帳號｜ 50331356 親子天下股份有限公司

國家圖書館出版品預行編目資料

妖怪醫院6：SOS!七化山的妖怪們／富安陽子文；
小松良佳圖. -- 第一版. -- 臺北市：親子天下, 2017.9
152面；17×23公分. --（樂讀456系列；42）
ISBN 978-986-95267-1-5（平裝）

861.59　　　106014065

三申堂
樂器博物館
後院的木門
蜘蛛夫人的家

蝙蝠的石屋
野豬夫婦的家
蛇御前的家
七化山
七化池